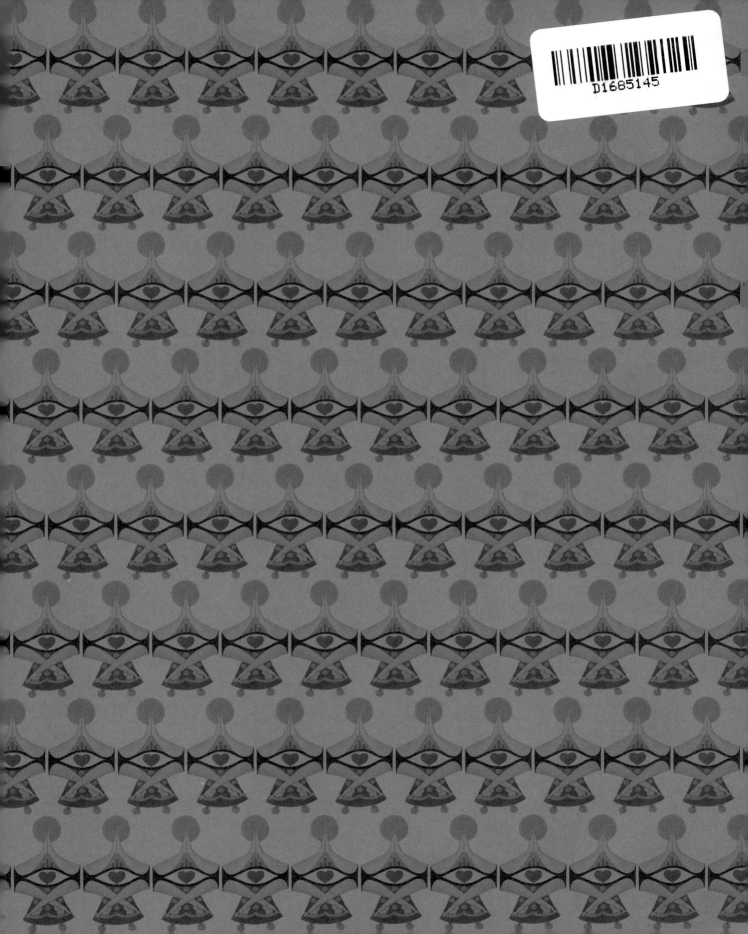

TA KSIĄŻECZKA NALEŻY DO:

_____

# JAKUB
# I SIEDMIU
# ZŁODZIEI

## MADONNA

ILUSTRACJE
## GENNADY SPIRIN

Zysk i S-ka Wydawnictwo
A CALLAWAY BOOK
2004

Ta książeczka jest dedykowana
niegrzecznym dzieciom,
gdziekolwiek są.

**D**AWNO, DAWNO TEMU W BARDZO MAŁEJ WIOSCE przycupniętej między dwiema górami żył szewc imieniem Jakub. Z okien jego warsztatu roztaczał się cudowny widok — tajemnicze lasy, kryształowo czyste potoki i śnieżne czapy na odległych szczytach majestatycznych gór.

Mały syn Jakuba, Michał, był tak chory, że nie podnosił się z łóżka, i tak słaby, że ani się nie ruszał, ani nie mówił. Wraz ze swą żoną, Olgą, Jakub cały ostatni rok szukał lekarza, który ocaliłby Michała, kiedy jednak żaden z nich nie wiedział, skąd wzięła się choroba chłopca i jak sobie z nią poradzić, pozostała wiara w cud. Jakub uznał, że liczyć może tylko na siebie.

Ukląkł przy łóżku chorego Michała i ocierając mu pot z czoła, uspokajał go:

— Nie martw się, synku. Zobaczysz, wszystko będzie dobrze.

Chłopiec nie miał siły, aby cokolwiek odpowiedzieć. Matce łzy zakręciły się w oczach, szybko więc wyszła z pokoju, żeby Michał nie widział jej płaczącej. Jakub pospieszył za żoną i zastał ją w sąsiedniej izbie, gdzie skulona za drzwiami łkała.

— Nie można się tak szybko poddawać — powiedział łagodnie, ocierając jej łzy.

Olga nie mogła już dłużej patrzyć na cierpienia swego syna.

— Odchodzi z tego świata — rzekła głosem pełnym smutku. — Widzę to w jego oczach.

Jakub wiedział, że to prawda, ale nie zamierzał się poddać, chciał jeszcze walczyć.

— To mocny chłopak — powiedział.

— Siła nie na wiele się tu zda — Olga na to. — Ocalić może go już tylko cud.

I miała rację.


— Musisz iść i poradzić się tego starca, który mieszka w ostatnim domu na skraju wioski — błagała Olga. — Ludzie mówią, że rozmawia z aniołami i potrafi czynić cuda.

Ale my go przecież nie znamy — zafrasował się Jakub.

— Zapukaj do drzwi i powiedz, że mu dobrze zapłacisz. Chyba ulituje się, kiedy usłyszy, że Michał jest naszym jedynym dzieckiem.

Jakub zebrał więc wszystkie pieniądze, jakie tylko mogli wyszperać, i poszedł do mądrego starca, który mieszkał w ostatnim domu na drugim końcu wioski.

Kiedy zapukał, drzwi otworzył mu chłopiec niedużo większy od Michała.

— Dzień dobry — powiedział chłopiec o dużych zielonych oczach. — Na imię mam Paweł.

— Dzień dobry, Pawełku. Czy tata jest w domu? — spytał Jakub.

— Nie, ale jest dziadek. Co mu powiedzieć, że kto przyszedł?

— Szewc Jakub. Dziadek mnie nie zna, ale koniecznie muszę z nim porozmawiać.

Zza pleców Pawła dobiegł miły głos.

— Proszę, wejdź, Jakubie, skosztuj moich świeżych daktyli — powiedział starzec.

Widząc, że twarz gospodarza jest równie przyjazna jak jego głos, Jakub rad zdjął kapelusz i wszedł do środka.

Starzec posłyszał smutek w głosie przybysza, rzekł więc łagodnie:

— Usiądź, proszę, i powiedz, co cię trapi.

Jakub zajął miejsce w wygodnym fotelu i opowiedział starcowi wszystko o swoim jedynym synu — o chorobie, o daremnych poszukiwaniach lekarza i o Aniele Śmierci, którego obecność wyczuwał przy łóżku Michała. Jakub skończył, a starzec siedział z zamkniętymi oczami i się nie odzywał.

Także i Jakub milczał, siedział bez ruchu, ale jego serce wzbierało nadzieją.

Minęło kilka chwil, aż wreszcie starzec rzekł:

— Zobaczę, co uda mi się zrobić.

— Żaden ze mnie bogacz — powiedział Jakub — ale z chęcią oddam ci wszystko, co posiadam.

To mówiąc, sięgnął do skórzanego trzosa, w którym tkwiły zwinięte banknoty i pobrzękiwały monety, ale starzec powstrzymał go ruchem dłoni.

— Nie, nie trzeba. Ale jeśli uda mi się pomóc twojemu synowi, możesz Pawłowi sprezentować parę trzewików, bo stare są już do niczego.

— Dzięki, najserdeczniejsze dzięki! — wykrzyknął Jakub.

Ponieważ jednak starzec widział, że serce biednego ojca dalej pełne jest niepokoju i smutku, znowu spróbował go pocieszyć:

— Będę się wieczorem modlił i zobaczę, co mi odpowiedzą aniołowie. Wracaj teraz do domu, spróbuj trochę odpocząć i nie trać otuchy. Przyjdź znowu jutro rano.

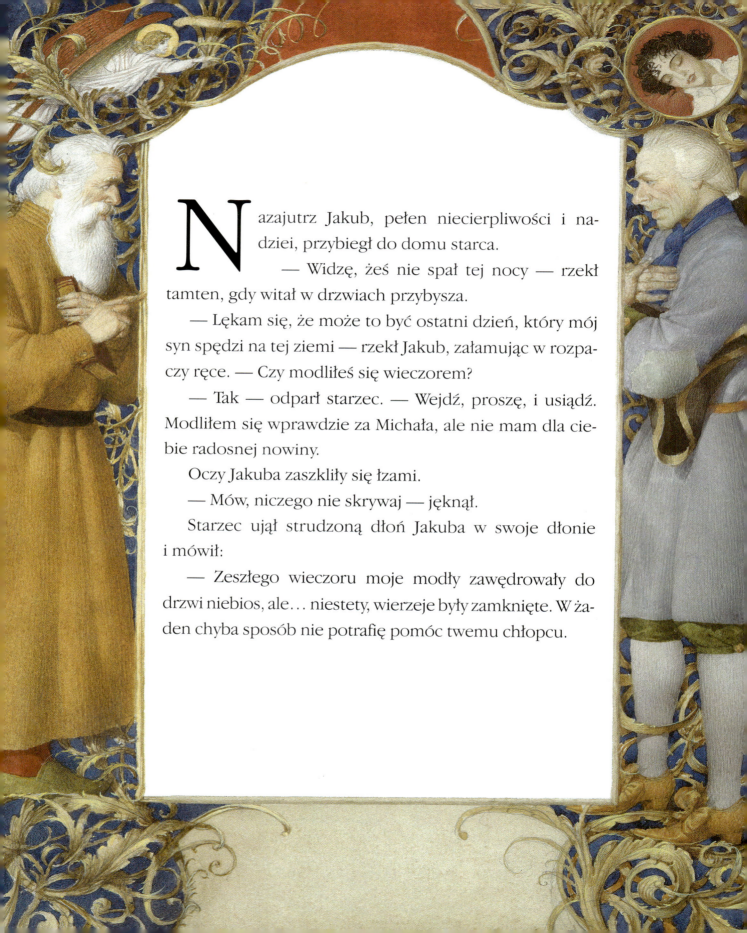

Nazajutrz Jakub, pełen niecierpliwości i nadziei, przybiegł do domu starca.

— Widzę, żeś nie spał tej nocy — rzekł tamten, gdy witał w drzwiach przybysza.

— Lękam się, że może to być ostatni dzień, który mój syn spędzi na tej ziemi — rzekł Jakub, załamując w rozpaczy ręce. — Czy modliłeś się wieczorem?

— Tak — odparł starzec. — Wejdź, proszę, i usiądź. Modliłem się wprawdzie za Michała, ale nie mam dla ciebie radosnej nowiny.

Oczy Jakuba zaszkliły się łzami.

— Mów, niczego nie skrywaj — jęknął.

Starzec ujął strudzoną dłoń Jakuba w swoje dłonie i mówił:

— Zeszłego wieczoru moje modły zawędrowały do drzwi niebios, ale… niestety, wierzeje były zamknięte. W żaden chyba sposób nie potrafię pomóc twemu chłopcu.

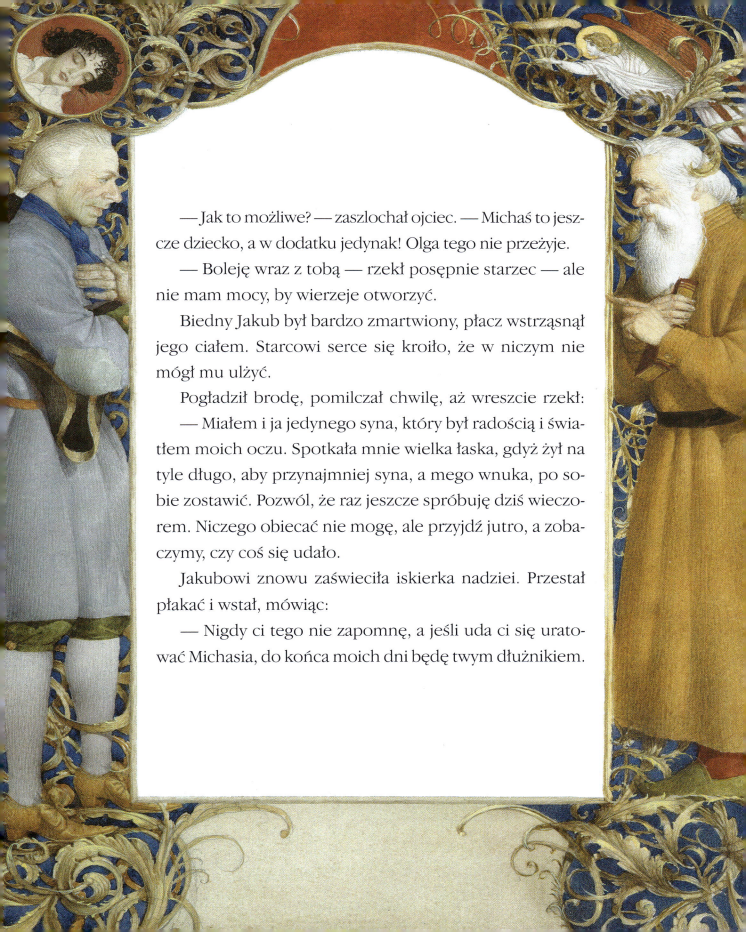

— Jak to możliwe? — zaszlochał ojciec. — Michaś to jeszcze dziecko, a w dodatku jedynak! Olga tego nie przeżyje.

— Boleję wraz z tobą — rzekł posępnie starzec — ale nie mam mocy, by wierzeje otworzyć.

Biedny Jakub był bardzo zmartwiony, płacz wstrząsnął jego ciałem. Starcowi serce się kroiło, że w niczym nie mógł mu ulżyć.

Pogładził brodę, pomilczał chwilę, aż wreszcie rzekł:

— Miałem i ja jedynego syna, który był radością i światłem moich oczu. Spotkała mnie wielka łaska, gdyż żył na tyle długo, aby przynajmniej syna, a mego wnuka, po sobie zostawić. Pozwól, że raz jeszcze spróbuję dziś wieczorem. Niczego obiecać nie mogę, ale przyjdź jutro, a zobaczymy, czy coś się udało.

Jakubowi znowu zaświeciła iskierka nadziei. Przestał płakać i wstał, mówiąc:

— Nigdy ci tego nie zapomnę, a jeśli uda ci się uratować Michasia, do końca moich dni będę twym dłużnikiem.

Gdy Jakub zniknął, starzec przywołał wnuka i bardzo dziwne dał mu polecenie:

— Biegnij do miasteczka i zbierz wszystkich złodziei, złoczyńców i rzezimieszków, jakich uda ci się znaleźć. Im gorsi, tym lepsi. Przyprowadź ich do mnie.

Paweł spojrzał na starca oczyma wielkimi ze zdumienia.

— Ale, dziadku… — bąknął. — Czy nie jest to niebezpieczne?

Starzec jednak położył dłoń na swym sercu i rzekł:

— Zaufaj mi, chłopcze.

Pomknął więc Paweł do miasteczka i aż dziw go zdjął, jak łatwo było dotrzeć do złodziei i złoczyńców i jak chętnie ci przystali na wezwanie dziadka. Także i oni słyszeli o starcu, co mieszka w ostatnim domu na skraju wsi i rozmawia z aniołami. Zresztą z tej też przyczyny nigdy go nie niepokoili.

Kiedy wszyscy złodzieje znaleźli się już w jego domu, starzec kazał im się rozsiąść i uraczył napitkiem, a potem prosił, by każdy się przedstawił i objaśnił, jaka jest jego specjalność.

Pierwszy przemówił Włodek Zbój, wielki, gruby i włocha-
ty. Potrafił gołymi rękami zgiąć metalową sztabę i pięścią
zrobić dziury w kamiennym murze.

Drugi był Sadko Żmijak, chudy jak patyk i cięty jak osa. Żaden
zamek mu się nie oparł i żaden klejnot nie potrafił umknąć jego
palcom.

Trzeci zabrał głos Borys Bosoludek. Mały i śmigły, przemykał uli-
cami miasteczka, wyrywając torebki starszym kobietom, a małe
dzieci pozbawiając zabawek, które zatrzymywał dla siebie. (Ponieważ jednak bał się ciemności, więc kradł tylko za dnia).

Potem przyszła kolej na Paszę Zaśmierdka, który grabił konie
i owce, na nędzę skazując właścicieli. Z czasem przesiąkł ich wo-
nią (koni i owiec, rzecz jasna).

Obok siedziała Gadka Kieszonkowa. Ubierała się jak chłopak, ale w istocie była bardzo niedobrą dziewuchą. Uwielbiała opowiadać długie, zmyślone historie o straszliwych rzeczach, które tak naprawdę nigdy się nie zdarzyły. A gdy oczarowani ludzie z rozdziawionymi ustami słuchali jej opowieści, ona opróżniała im kieszenie ze wszystkiego, co wpadło jej w ręce. Jej długie, zwinne jak węże palce zawsze znajdowały się tam, gdzie nie powinny. Czasami też w nosie Gadki.

Dalsze miejsce zajął Iwan Podpałek, który miał drewnianą nogę i z lubością podkładał ogień pod domy i stogi, a niekiedy podsmoliła się przy tym i jego własna proteza.

Na samym zaś końcu był Igor Tygrysi, który nie wiadomo czym sobie zasłużył na to miano, całe bowiem dnie przesiadywał z założonymi rękami i absolutnie nic nie robił.

Siedmiu zatem było podejrzanych drani, a kiedy już się nakrzyczeli, nachełpili i nawymądrzali, przemówił mądry starzec:

— Zaprosiłem was tutaj do mojego domu w pewnym specjalnym celu. Chciałbym, żebyście się wszyscy ze mną teraz pomodlili.

Tamci spojrzeli po sobie, a potem ryknęli takim śmiechem, że aż się zatrzęsła powała. Milczał tylko Borys Bosoludek, bo ciągle patrzył na znoszone sandały na nogach Pawła. Iwan Podpałek kopnął go swym drewnianym kikutem.

— Aj, boli! — krzyknął Borys. — Co ty sobie wyobrażasz?

— Co tak się gapisz na cudze obuwie? Uważaj, żebym ci palców nie podpalił!

Kiedy już się do cna wyrechotali, wybekali i wysmarkali, ucichli ze zmęczenia. A wtedy zobaczyli, że starzec patrzy na nich bardzo serio, oni zaś dziwny wobec niego poczuli szacunek.

— Zaprosiłem was tutaj, jak rzekłem, w bardzo specjalnym celu — powtórzył. — Jedyny syn szewca Jakuba jest bardzo, ale to bardzo chory. Nie wiadomo, czy dzisiejszą noc przetrzyma, i dlatego potrzebuje waszej pomocy. Chciałbym, abyście się wszyscy za niego pomodlili.

I tak zaglądał w oczy każdemu z nich, oni zaś trwali jakby zaklęci przez tajemniczego starca, który rozmawiał z aniołami. Czy mag to jakiś może? Włada czarodziejskimi mocami? Potrafi sprawiać cuda?

Nikt nie był pewien.

Co i tak nie miało znaczenia, chociaż bowiem strach poszedł im aż w pięty, widzieli, że starzec mówi do nich poważnie.

Wtedy zaś stała się rzecz niezwykła. Jak na skinienie ręki wszyscy złoczyńcy zamknęli oczy i skłonili głowy w modlitwie.

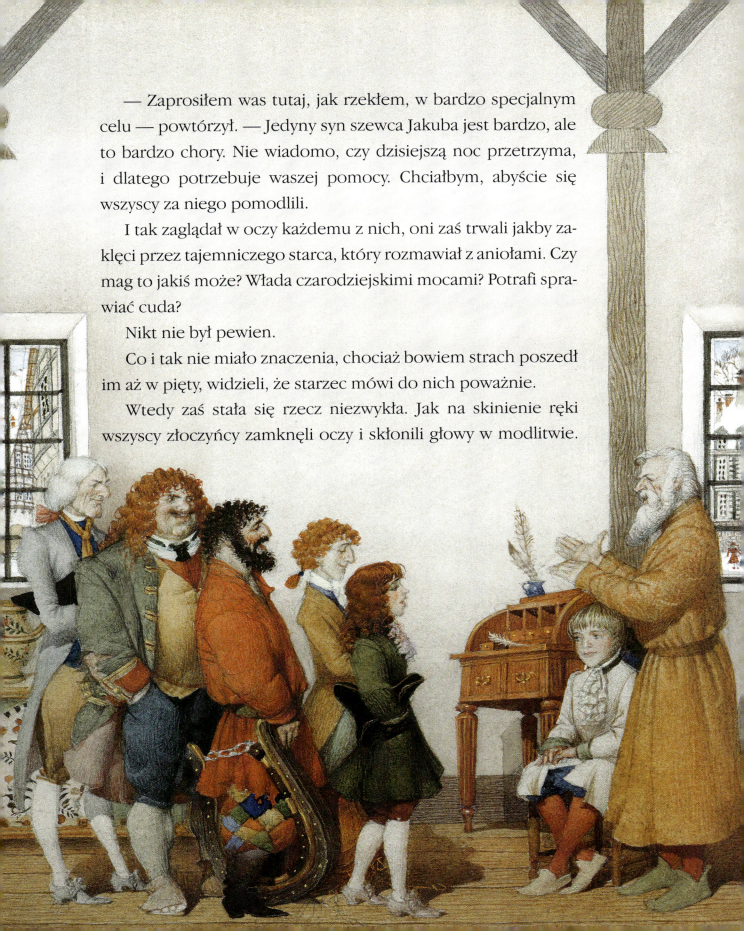

Następnego ranka, ledwie słońce wyjrzało zza horyzontu, rozległo się łomotanie do drzwi.

— Zaraz, już idę — zaspanym głosem krzyknął Paweł i ziewając, podreptał do wejścia, a za nim pospieszył dziadek. Za progiem stał Jakub. Nie musiał nic mówić, wszystko bowiem można było wyczytać z jego twarzy.

— Widzę, że to ty przychodzisz z dobrą nowiną — roześmiał się starzec. — Cóż za szczęśliwy uśmiech!!!

— Słów mi brakuje! Dzięki, stokrotne po stokroć dzięki! Jakże ja ci się wywdzięczę? — wołał Jakub. — Jakżem już dawno nie widział Michała w tak dobrym zdrowiu! Wygląda, jakby nigdy nie chorował. Choroba precz poszła! Moja żona i ja nie posiadamy się z radości! I wdzięczności! Cud! Prawdziwy cud się wydarzył!

— Masz rację, istotnie. — Starzec pokiwał głową. — A teraz wracaj do domu i odpocznij. Tyleś nocy spędził bez snu!

Jakub padł na kolana i z szacunkiem ucałował starca w rękę, a następnie wręczył Pawłowi parę butów zielonych jak jego oczy. Zanim jednak chłopiec zdążył podziękować, Jakub tanecznym krokiem już się oddalił.

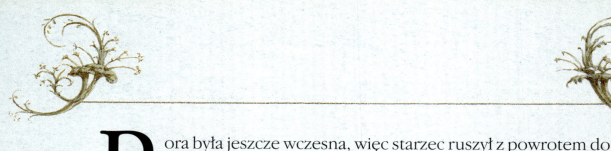

Pora była jeszcze wczesna, więc starzec ruszył z powrotem do łóżka, ale wnuk chwycił go za rękę i spytał:

— Jak to możliwe, dziadku? Ty jesteś taki dobry, uczciwy i prawy, a ci, których wczoraj kazałeś przyprowadzić, to oszuści, kłamcy i złodzieje, zupełnie do ciebie niepodobni. Czy nie lepiej było zwołać porządniejszych ludzi i z nimi modlić się o uchylenie niebieskich bram?

I co, czyż nie dobre pytanie?

Dziadek popatrzył na wnuka z wesołymi ognikami w oczach i powiedział:

— Siadaj, a wszystko ci wytłumaczę. Gdym pierwszego wieczoru prosił o zdrowie dla syna Jakuba, dotarłem do wierzei nieba, były jednak zamknięte, a ja nic na to nie mogłem poradzić. Jakubowi serce pękało z rozpaczy, czułem to dobrze, jakże więc mogłem zrezygnować? I wtedy nagle nawiedziła mnie pewna myśl, poprosiłem cię więc, byś w miasteczku pozbierał nicponiów i wszystkich tu sprowadził, by się ze mną modlili.

— To wiem — powiedział Paweł — nie rozumiem jednak, co się stało. Jak udało się otworzyć wierzeje?

Twarz starca rozpłynęła się w najpiękniejszym uśmiechu.

— Przy drugiej modlitwie miałem do pomocy orszak złodziei, a dobry złodziej zawsze znajdzie sposób, by się wszędzie wślizną, mój drogi chłopcze. Tym razem zrobili to przy użyciu modlitwy i to ona stała się kluczem do bram niebios. Widzisz, ci złoczyńcy reprezentują to wszystko, co złe jest w nas, co wredne, sobkowskie, co trzeba w nas odmienić, byśmy byli szczęśliwi. Ilekroć pragniemy, by zdarzył się cud, musimy wytropić w sobie wszystkie złe cechy. A kiedy od nich się odwracamy i czynimy dobro, jak owi złodzieje, którzy zaczęli się modlić, wtedy przekręcamy klucz, otwierają się drzwi nieba, a ku nam płynie błogosławieństwo i pomyślność.

— Teraz już rozumiem! — zawołał Paweł, który w końcu wszystko pojął.

Starzec powstał, spojrzał na bose stopy wnuka i powiedział:

— Pora już, byś przymierzył swoje nowe buty. A ja jeszcze trochę pośpię.

W tej jednak chwili znowu rozległo się głośne stukanie do drzwi. Chłopiec otworzył je, ale nikogo nie zobaczył za progiem.

— Hmmm — chrząknął ktoś z boku.

Paweł spojrzał i zobaczył Borysa Bosoludka, który miał bardzo zgnębiony wyraz twarzy. Po chwili Borys wyciągnął zza pleców rękę, w której trzymał parę znoszonych sandałów.

— To chyba twoje — wybąkał. — Sam nie wiem… Tak jakoś same ostatniej nocy wskoczyły mi do kieszeni… a… ja… ummm… errr… właściwie to ich wcale nie potrzebuję… więc… masz i przepraszam!

— Przeprosiny przyjmuję, ale sandały możesz zatrzymać — powiedział z uśmiechem Paweł i zerknął na swe nowe zielone buty. — Nie będę ich już więcej potrzebował.

Borys zaczerwienił się, niepewnie nałożył sandały, po raz pierwszy w życiu mruknął „Dziękuję!" i odszedł spiesznym krokiem.

A Paweł spoglądał za nim z uśmiechem.

Po raz pierwszy opublikowano w 2004 roku pod tytułem
*Yakov and the Seven Thieves*
projekt Toshiya Masuda
wydawca Callaway Editions, New York

*Jakub i siedmiu złodziei*
Copyright © 2004 by Madonna
Wszelkie prawa zastrzeżone

Tłumaczył z języka angielskiego Jerzy Łoziński

Translation copyright © 2004 by Zysk i S-ka Wydawnictwo s.j., Poznań

Wydanie I
ISBN 83-7298-534-0

www.madonna.com          www.callaway.com          www.zysk.com.pl

Całkowity dochód Madonny ze sprzedaży tej książki
zostanie przekazany na rzecz Spirituality for Kids Foundation.

Inspiracją do tej książki była opowieść, której autorem jest Baal Shem Tov (Baal Szem Tow), wielki mędrzec i nauczyciel chasydzki, żyjący na Ukrainie w XVIII wieku..
Jest to opowieść o tym, że każdy z nas, chociażby wydawał się najbardziej marny, może otworzyć wrota niebios. Wystarczy, byśmy potrafili wystąpić przeciw swej egoistycznej naturze, a zyskamy możność sprawiania cudów w swoim życiu i w życiu innych.

Trzeba nieustannie pamiętać o tym, że pod zwałami mroku kryje się wielka światłość.

MADONNA

MADONNA RITCHIE urodziła się w Bay City w stanie Michigan; ma siedmioro rodzeństwa. Na całym świecie sprzedano dwieście milionów jej płyt, ponad dwadzieścia pięć jej singli znalazło się w pierwszych dziesiątkach list przebojów. Trzy razy otrzymywała nagrody Grammy, przyznano jej także Złoty Glob za rolę w filmie *Evita*. Z mężem, Guyem Ritchiem, reżyserem filmowym, i dwojgiem dzieci, Lolą i Rocco, mieszkają bądź w Londynie, bądź w Los Angeles. Dwie jej poprzednie książki dla dzieci, *Angielskie Różyczki* i *Jabłka pana Peabody'ego*, przełożone na czterdzieści języków i wydane w ponad stu krajach, stały się międzynarodowymi bestsellerami.

GENNADY SPIRIN przyszedł na świat w pierwszy dzień świąt Bożego Narodzenia w niewielkim miasteczku pod Moskwą. Zilustrował trzydzieści trzy książki dla dzieci. Cztery razy był nagradzany złotymi medalami przez Towarzystwo Ilustratorów, otrzymał Złote Jabłko na Międzynarodowym Biennale w Bratysławie i Grand Prix na Międzynarodowym Biennale w Barcelonie, a także pierwszą nagrodę na Międzynarodowych Targach Książki w Bolonii. Mieszka w New Jersey z żoną i trzema synami.

Zysk i S-ka Wydawnictwo
ul. Wielka 10, 61-774 Poznań
tel. (0-61) 853 27 51, 853 27 67, fax 852 63 26
Dział handlowy, tel./fax (0-61) 855 06 90
sklep@zysk.com.pl
www.zysk.com.pl